KB103777

해파리와 칵테일

발　행 | 2024년 06월 13일
저　자 | 산호
펴낸이 | 한건희
펴낸곳 | 주식회사 부크크
출판사등록 | 2014.07.15.(제2014-16호)
주　소 | 서울특별시 금천구 가산디지털1로 119 SK트윈타워 A동 305호
전　화 | 1670-8316
이메일 | info@bookk.co.kr

ISBN | 979-11-410-8970-2

www.bookk.co.kr

해파리와 칵테일

푸른 파도가 끝없이 흔들리는 세계로 초대할게요
나의 섬이 사라지기 전에
반짝이는 말들이 멸망하기 전에

산호 지음

울렁이는 지리멸렬
혼탁한 구석
중심을 잡을 수가 없다
글자가 어지러워서
날씨가 시끄러워서
여름이 무기력하고 갈증이 나서
밤새 내내 나는 무엇을 했던 걸까
기억이 없다
정말이지 기억이 없다
섬망을 잠재워야 해
이 지독 같은 날들을 버티려면
미친 척 웃을 줄 아는 사람이 되어야 해

어느 여름날에

목차

1부 상영되는 치부

2부 발이 없는 해파리

3부 짙은 향은 어지럽게 만들지

1부 상영되는 치부

치부 영화관

낮에는 인간을 흉내 내고
밤에는 초라한 영혼이 되었지

사람이기 전에
애초에 빈 껍데기의 영혼이어서

무딘 속앓이는
서늘한 내 방에서 더욱 짙어지고
볼품없는 자책만이
나를 작게 만든다

속절없는
괴로운 계절과 사람들

나를 보던 다정한 눈빛들을 두고서
나는 아무 말도 할 수 없어
이번 겨울은 왜 이리도 추울까

살아지고 사라지는 순간들
표정을 잃을 때마다 보관해 두었던
회색의 숨은 여전히 희미하게 빛나고 있다
도망칠 곳 없는 현재의 삭막함
나는 어디로 가야 할까

아직도 해답이 없다는 말은 지옥이야

평범한 삶이
평범한 사람이
되는 것은 어려운 걸까

- 나도 이렇게 살고 싶진 않았어

발악

살아있다는 것은 어쩌면 기적일지도 모른다
흔적을 자꾸 만들어 내는 것은
나를 바라봐 주세요 라는 구원인 것일까?
사랑하는 이에게 상처 주지 않는 최단의 선택이자 발악이다
푸르게 물들어버린 절망 위로 활자를 쓰고 수집한다

자유로운 영혼

구름을 잠재우고
날아다니는 잠자리의 자유로운 영혼을 봤다
어디든 갈 수만 있을 것 같은
날개가 부러웠다
잠자리는 서로를 통과하며
동그라미를 그렸고
하늘 위를 뱅뱅 날아다녔다
가을도 아닌데
가을인 것만 같았다
포용하는 날갯짓은
아름다웠고
손을 뻗어 닿을 수 없는 거리에 우뚝 서 있었다
말할 수 없는 바람이
눈가에 불어왔다

초월적인 푸른 형태

인생이 푸르다고 누가 그랬니
바다가 푸르다고 누가 그랬니
환상이 푸르다고 누가 그랬니
아릿한 멍이 푸르다고 누가 그랬니
푸른 말을 뱉으면 혀도 파래진다고 누가 그랬니

파랗다와 푸르다의 차이를
나는 잘 모르겠어
그런 정의를 누가 내렸을까
궁금한 날이 있었어
오늘 난 지리멸렬
공상의 수업을 들어

마음이 파래
발음하는 입이 파래
네가 들려준 말이 파래
꿈속의 꿈이 파래
여름처럼 시원한 노래가 파래

파랑새, 파란 꽃, 파란 종이,
파란 하늘, 파란 지구
이 지구엔 파란 것이 왜 이리 많아
온통 파래서

시각이 고장 난 것만 같잖아
색맹의 시대가 오잖아
낭만처럼 아름다워서
사랑할 수밖에 없잖아

어릴 때부터 파란색이 유독 끌렸던 건 왜였을까

측정할 수 없는
푸름의 끝은 어디에 있는 건지
나는 잘 모르겠어

가끔은 네 말이 차갑고
가끔은 네 말이 신비로워
역시 나는
파랗다와 푸르다의 정의를 내릴 수가 없어
나는 미친 몽상가랬잖아

고흐의 별이 빛나는 밤이
아름다워 보이는 건
내가 고흐의 마음을
조금이라도 들여다본 탓일까

여름 목록

다시 돌아온
계절의 목록
햇빛 한 줌
짙은 녹음
서러움도 씻겨갈 장마
능소화가 피던 곳
선선하게 부는 바람
은하가 지나가는 자리
선명한 엄마의 목소리
묵묵히 나를 지켜주던 숲
이 모든 것이
여름을 사랑하는 이유이자
다정한 희망이었다

근황

만개한 꽃들도 다 져버렸고
사월이 끝나가고
마음이 어수선하고
누군가로부터 미움을 받고
스스로부터 비난하고 혐오하고 자책하고
사랑해 주지 못하고
여전히 제자리라 허무하고
공허하고 슬프고
버티는 힘이 사라지고
내가 그토록 좋아하던,
나를 지지해 주던 시마저
등 돌리는 것처럼 어떤 글도 눈에 들어오지 않고
봄에 태어난 나는 겨울에 여전히 살고 있고
이렇게 모난 사람이라는 자각에 역겨워
미칠 것만 같고

귀신

맑은 날씨
먼지처럼 사라져도 이상하지 않을
그런 날씨는 위험해진다
내 세상이 사라지면
나도 같이 사라진다
살아진다고 얘기했던 희망을 준 당신들의 품은
어디로 사라져 버린 걸까
더위에 시들어져 버린 은행들은
얼마 살지 못하는 매미들을 위해
마지막 순간을 추모해 준다
장시간 버스를 타고 내려
길가에 우뚝 서 있다 어지러운 세계 안에 갇혀버렸다
여름의 목소리가 나를 부른다
아주 서늘하게 천천히 다가오는 것처럼
갈 곳 없는 희망과 절망은
어디에 품어야 할까
아기를 낳아본 엄마라면 품었을지도 모른다

돌 장례식

돌은 자꾸만 바닷속으로 사라지고 기어다니는 파도는 돌을 삼키고
파도의 두꺼운 목구멍에 올라온 비린내 나는 축축한 언어들은
서로를 부둥켜안고 슬픈 곡소리를 내며 하나둘 유실되는 서로를
기억했다 더는 기억하고 싶지 않은, 더는 기대하고 싶지 않은 과거와
현재를 넘나들며 파도의 커다란 입속으로 던졌다 구불구불한 파도의
선이 선명해질 때 나는 파도를 신처럼 모셨다가 익사했던 나의
문장들을 고요히 추모한다. 다시금 쓰일 갓 태어날 문장을 위해
파도의 목소리에 귀를 기울이다 염원이 담긴 돌을 만지작거리다
파도에 힘껏 던져 다시 오겠다는 지키지 못할 약속을 하고서 서러운
발끝을 돌려 고요한 파도의 품으로부터 이내 멀어진다

콩벌레

한껏 움츠러든 몸을 콩벌레처럼 죽은 척 말았다 날씨가 춥지도
않은데 마음은 고독한 겨울이었다 상처받은 개의 눈빛을 하고서
어지러운 하루 속에 멈춰있었다 시간은 느리게 흐르고 밤의 왈츠가
시작되었다 아무것도 채워지지 않는 온몸이 녹아버리는 처연해지는
것에 익숙한 그런 날들이 모여 나는 더욱 작아졌다 눈을 뜨니 하얀
방 속에 갇혀있었다 다시 태어나고 싶었던 나의 바람이었나

초록의 말

이맘때쯤엔, 빛바랜 슬픔이
표정을 타고 내려와
그늘진 마음으로 되돌아오는 것이
꽤 슬퍼집니다
초록의 말이 깊어지고
녹음이 영원할 것 같은 순간도
다 지나갈 것이기에
나는 알면서도 슬퍼집니다
나뭇잎에 숨을 불어넣고
초록이 매 순간 반짝이길 바라는 나의 염원은
숲의 얼굴이 깊어질 때
비로소, 이룰 수 있게 되는 광경입니다

슬픔 종점

괜찮다는 말이 때론 힘에 부칠 때가
이유 모를 감정들이 솟구칠 때가
끝없이 무기력한 날들이 지속될 때가
우중충한 노래들이 귓속에 맴돌 때가

슬픔의 끝은 어디인가요

장마

축축해진 장마는 나에게로 들어와 내 속을 헤집고 다녔다
나는 형체도 알아볼 수 없는 존재로 다가와
장마에 묻혀 사라지고 어둠만이 반짝이고 있었다
장마의 연속이었다

출구 없음

꿈속의 문의 출구는 없음
비만 내리던 날들이 많았으므로
고이 간직했던 행복은
모두 녹아 사라졌다
평정심을 되찾고 싶지만 결국 찾지 못한 채
눈물이 파도가 되어
나는 그 파도에 잠식되어
꿈에서 꿈으로 사라진다
울창해지려던 숲이 무너지고
연약한 나무들만이 휘청이고 있다

미아

영원이 더는 영원이 아니게 될 때
구원이 더는 구원이라 발음하지 못하고
천국이 아니게 될 때

삶이란 흐르는 물과도 같고
그 속에 버둥거리는 내가 흘러 내려갈 때
무엇이 옳은지 그른지 헷갈려 방향을 잃었을 때

빈곤과 희망론

오래 쳐다보면 무너질 것 같아서
절망을 꿀꺽꿀꺽 삼켜냈다
날씨가 좋을수록 마음이 빈곤해진다
이 여름을 어떻게 보낼지 생각만 하다
벌써 가을로 접어들었다
허무하고 외로운 계절이 나를 반긴다
일어나야지 일어날 거야 반드시
나를 사랑해 주는 이들을 생각해서라도 일어나야지

영이

삶은 유해하다 그랬지 영이는 어떻게 느꼈을까 구원이 가
혹하게 다가와 숨죽였을지 믿을 수 없는 영원과 믿을 수 있
는 영원의 경계는 어디쯤일지 믿지 않으면 좀체 믿을 수 없
어서 영이는 돌아오지 않고 어디서 모질고 믿기 힘든 말들이
돌아올까 영이는 읽기 힘든 표정을 하고서 떠났다 무슨 의미
였을까 영이의 눈빛은 꼭 안개 같아서 잡을 수도 없었다 푸념의
잎이 한 잎 한 잎 떨어질수록 불안의 극도는 잦아진다 영이는
어디로 갔을까 숲이 짙어졌다 영이의 행방을 놓쳤다는 뜻이다
어디로 갔을까 가엾은 영이는

어리석은 신

믿고 싶었다
빛의 한줄기를

망각 또한 속죄하면서도
또다시 나쁜 마음을 가져
죄를 짓는 일이어서
신을 죽이고 싶었다
내게 처한 상황을
하소연할 대상이 필요했다

왜 하필 신이었나
왜 하필

불러도 기도해도
대답 없는 인자하고 어리석은 신이시여,
선과 악
천국과 지옥
이 모든 것이 무슨 소용이냐고 절규했다

무심한 침묵은 길었고
심장에 새긴 십자가를 세게 움켜쥐었다

오늘도 신 없는 자리에서

울고 있었다

괴로울 때마다 글을 적었다
빠짐없이 빼곡했다
현실은 악몽이자 갇혀버린 원
발 디딜 때 마다 굽어지는 등
슬픔을 슬픔이라 말하지 않는다

나를 밟는 박해
심장을 터뜨리고
잘근잘근 씹어버린다
내가 두려운 건
신도 아니고
지옥도 아니고
현실 속에 우뚝 생존하는 나의 모습

비참하게 행렬하는 체념
*마음이 가난해서 미안하다는 말은 진심이었어

무어라

무어라 말하면 좋을까

기쁨과 슬픔이 공존하는 세계에서
너와
내가
우리가

이토록 무너지면서까지 사랑하는 이유가

반복되는 울(우)과 복(행)
복합성이 짙어지는 이유는
아직도 모르지

비가 하루 종일 울다가 그치는
이유 또한 모르는데
가엾은 영혼들이 손을 잡고 떠내려가는 것 또한
무어라 말하면 좋을까

정말이지 나는 여름이 싫어
라고 말했던 나의 말은
비가 오는 날만 해당이었던가

아니지

공허한 눈빛을 가진 내가
싫어서인지도 모르고 위대한 계절 탓을 하지

주황색을 쳐다보지 마
빨려 들어갈 것 같은
괴로움이니
*해는 뜨지도 지지도 않았어 얘야

달리는 버스 밖을 뚫고
내가 보았던 건 무엇이었을까
아지랑이 피어오르는 초록이었을까
유실된 소중한 마음이었을까

괴괴하고 반짝이는
비의 모습이 처연해서
내가 보지 못한 꼭 나의 뒷모습 같아서
엉엉 울 수도 없고
찰랑거리는 눈빛만 남겨두고

소실되고 재가 돼버린 마음의 조각을
조심히 담아
나의 숲이 사라지지 않게
땅속에 푹푹 심어버리고서
쓸쓸한 눈빛 가득 뿌리고서
홀연히 흩어지는 안갯속에
나의 마음은 어디에나 없고 어디에도 없다

꿈의 필름이 조금씩 늘어난다
나는 운 적도 없는데
눈을 뜨니 베개가 젖어있었다
오래된 과거가 생생하다

- 곱씹을수록 짙어진다

2부 발이 없는 해파리

유해한 삶

뾰족해지는 태도
무기력한 나날
혼을 빼버린 육체
긴 터널 속의 음울함
멍한 동공
원인 모를 두통과 속앓이

먹구름의 면을 들키기 싫어
입꼬리가 경련 나듯 미소를 보인다
버텨야지 버텨야지
내가 예민한 걸까
이 여름에 대한 태도를 어찌할까
신경질 난 악에 받친 울분을 어찌할까
방치하고 모른다는 얼굴의 그을음은
그늘진 땅보다도 서늘해서
봄에 태어났지만, 겨울의 아이로 살아왔다

체한 듯한 불안과 스트레스를
모두 게워버리고 싶은데
뒷감당이 괴로워서 나오지도 못하게
입속을 아주 깊게 삼켜버린다

달게 먹었던 행복은 포만감은 언제였던가

또 내가 행복한 적 없다고 거짓말을 하는건지
알 수 없는 괴리감이 들어 섬뜩해진다
헤아릴 수 없는 날들로부터
여름의 끝자락에 나를 엮는다

삶은 유해하고 유해하고 유해해서
달을 반으로 잘라
온몸 구석구석 빛날 수만 있다면
내가 버틸 힘이 강해질까

기억이 선명해질 때마다 날짜는 사라지고
퇴색해 버린 변명은 골몰과 함께 추락한다

복숭아 씨앗 염원

정적이 가득하지만 여러 소음이 섞여 들리는 어느 여름
복숭아의 씨앗을 흙에 넣고 묻었다 완숙된 마음 또한 피어날 수
있을까 하고 나는 그늘진 바람 옆을 서성이면서 더운 숨을 불어
빌어먹을 여름이 되지 않게 해달라고 질식하는 여름의 심장처럼
빈다 숲은 흔들리고 제법 많은 마음을 들켜버린 언어를 덮어 뜨겁다
못해 녹아버리는 절정의 여름에게 나의 독백을 천천히 읊기
시작한다 직면하는 진실이 깊어지는 시간, 참회의 마음을 갖고서
어지러운 모순을 또다시 토해버리고 거짓말처럼 잊어버리며 내가
파랗게 익어가는 시간 여름이 초대한 환락의 꿈으로 들어가는
시간은 짧기만 해서 늘 아쉬운 마음으로 눈이 부시게 안녕을 보내요

추신) 나는 다정한 여름에게 지금껏 절망의 시간을 보낸 멍청한
내가 가엾기 그지없다고 이번 여름은 무탈히
나를 지나가 달라고 나를 봐도 끝까지 외면해달라고
밤마다 지껄였어요

퍼즐을 맞추시오

1. 결핍의 먹잇감이 우글거려요 나는 나를 그런 나를 보는
나를 잊기 위해서라면 모두 다 파멸하는 힘이 생기고
서로를 미워할 수 있는 또 다른 자아가 생기니까요

2. 여러 명의 나를 얇게 썰어 아프지 않을 만큼
말들이 돌아오는 곳을 향해 하나씩 던질 거예요
태워버린 숲을 향해 모아두었던 복합의 시체를

3. 천 번도 더한 말이기에 내뱉을 수 없는
푸른곰팡이의 저주
아, 혀가 굳습니다
지구를 향해 등을 돌릴 것을 나는 알고 있기에
매캐한 활자를 도리어 삼킵니다

4. 국경을 넘어 생존 신고를 알렸다
낮이고 밤이고 상영하는 시들은
잠재워둔 미라처럼 소실했다

5. 아름다운 연민의 것들이 풀이 죽는 광경을 말갛지 못한
내 눈에서 다시 한번 흔들렸다 영원의 무로 돌아가는 중이다
삶이 생소해서 우리는 표정이 없다고 말했다
우리의 얼굴은 희고 검고 희고 검고 희고 창백하게 웃고 있었습니다

6. 우거진 초록을 따라가면 지나온 행복이
마중 나와 있을까 봐 함부로 다가가지 못하고
주춤거리다 멈칫, 돌아서는 나는요

7. 이것들이 모두 무슨 소용이 있겠냐만은
몰두하는 나로부터 은밀하게 계속해서 써내려간다

8. 내 안의 우주가 이루는 파편의 퍼즐 조각입니다
순서는 당신 마음대로 조각을 맞추어주세요
소리 내어 읽으시거나 마음에 스미셔도 좋습니다
덧붙이는 말은 언제나 환영입니다.

- 초록의 행운을 빌며

해탈한 여름

나뭇잎을 책갈피로 삼아
써 내려가는 활자
울음의 모양들은 가지각색이라
휘어졌다가
꼿꼿했다가
사라졌다가

비누 향을 칙칙
손목에 고개를 처박고
개처럼 킁킁거렸다가
까마득한 행복을 들여다봤다가
비에 섞인 눈물을 머금고

빙
그르르
초 록 빛

왈 츠 를 추 자 고 손 을 내 미 는 비雨

이 장마는 언제쯤 끝날 생각인가요
연약하고 괴괴한
내 소란스러운 마음들을

어서 깨끗이 빨아야 하는데

축축해서 예민해지는 나를
보고서도 입을 꾹 닫아요
해사한 표정을 짓고 싶은데
자연은 말해주지 않아요

어떠한 예견도 없이
천국과 지옥을
무자비하게 건네줘요

총 천 연 색 의
자 연 은 사 랑 스 럽 다 가 도
가 끔 미 워 져 요

지구인의 말

언제나처럼 다정했던 미완성의 여름. 지독한 나를 품에 안겨줄 비가
도착했다 나는 비가 오는 줄도 모르고 곤히 잠들었고 쏟아낼 게
많은 장마는 새벽 동안 앓아야 했다
다시 찾아올 비는 얼마나 많은 얘기를 들고 올까 내가 힘겹게 두
눈을 뜨고 있을 때 비로소, 찾아오는 걸까 아픈 부위는 이제 퍽
아픈지도 모르겠다 쿡 누르면 물랑 물랑 물랑 거려서 상처가 상실해
숨어버린 걸지도 모른다고 생각했다 요즘의 나는 하루살이의 삶
같고 마당의 돌이 되고 싶다고 생각한다 여름의 입은 친절하고
투명하고 섬뜩하다 나른한 우울은 달을 넘어 내게로 찾아온다
이상하고 아름다운 날 것의 아픔 유일하게 새벽에만 도착하는 말
익숙하지만 낯설고 날카로운 지구인의 말

내가 보낸 자책의 말
□□ ■■■■ ■■■■
차라리 종말 했으면 좋겠지?

절망을 희망이라 부를 수 없는 희망을 절망이라 부를 수 없는
더구나 어제의 나를 기억할 수가 없어 종말이 가까워진 게 분명해
나는 불완전해져만 가고 지구는 한껏 떠오르다 추락할 테니까
고이 뭉친 지난날의 회상 그리고 현재 시들었지만 예쁜 꽃 파도
속을 허우적거리는 나 다정한 언어만을 얘기하는 사람들 있잖아
나는 종일 이상했고 고혹했고 환멸했고 서러웠어

*방황은 현재진행형

주의사항

그을린 계절
타성적인 나의 행동
종소리는 넓게 퍼지고
헐벗긴 청춘이 수채화가 되어가는 동안
나는 묵묵히 도망가야만 했다

멈춰버린 심장은
낡고 오래된 태엽처럼 굳어 있었고
내 눈은 항상 초점이 없었고

1) 통증의 영역은 어디까지인지
2) 발음해도 욱신거리지 않는 단어는 몇이나 되는지
3) 내 곁에서 떠나가는 것들은 얼마나 많은지
4) 운명이 이끄는 길은 정말로 있는 건지
5) 어느 날 안타깝게 사라진 가수의 노래는
얼마나 들어야 체념하며 웃을 수 있는 건지
6) 감정의 기복을 조절할 수 있는 사람은 신밖에 없는 건지
7) 몽유병이 데리고 간 추락하는 낭떠러지엔
내가 대롱대롱 매달려있는 건 아닌지
8) 그런 나를 보는 신의 얼굴이 어둡진 않은지
9) 가끔 내가 징그럽다며 죽였던 연약한 벌레들이 한을 품고
내 몸을 기는 것만 같은 서늘함을 느낀 적이 많은지
10) 안전하다고만 느낀 유일한 집이 오히려 위험구역이 아닌지

11) 등골이 흠칫 불안할 때마다 여름 새벽이 내 등을 쓸어주었고
12) 도착하지 않는 안부는 늘 그리웠고
13) 나의 기로는 항상 정해져 있었고
14) 쓴웃음 뒤엔 잃어버린 나의 노스탤지어에 들어가
소멸하면 영원히 볼 수 없는 연약한 행복을 쓰다듬으며 잠이 들었다

추신… 오늘은 누리달 스무이틀이고요

그늘을 찾으면
숲이 소멸하길 염원할 거예요.

공통 슬픔

애써 괜찮다는 말을 하고싶지 않았다 생각의 블랙홀에 발이 걸려
역시나 넘어졌고 새벽까지 몰두하니 날이 밝았다 나의 병명은
만성질환이고 비워지지 않는 헛헛함과 괴로움은 영원토록 지속될까
쓸쓸했다 고흐의 별이 빛나는 밤, 다자이 오사무의 인간실격,
백은선의 도움받는 기분, 공통된 슬픔이자 위로, 눈을 감고 천국에서
춤을 추는 꿈을 꾸자

소멸된 미라

꿈과 환상은 몽환이요
현혹된 각성은
살아있는 시체 같다고
아주 오래전부터
내게 깃든 미망설이
존재한다고 믿어왔다

미라처럼 움직이는
세포의 감각이
낯설지가 않다

낮에는 함묵증 환자
밤에는 괴괴한 귀신
새벽은 이상적인 낭만조차
소멸 시켜버릴
미이라

속 안을 깨끗이 비워두고
음울하고 가혹하게 가득 채워
한 톨의 긍정이
녹아 사라질 때까지
울적해지는 병
숙지 되지 않은 운명론

나는 아직 몽유병에 걸린 환자라고
어제의 어제의 어제의
내가 그렇게 말했다

말라비틀어진
나뭇가지를 들고 와
심장이 있던 자리에
십자가를 움푹,

끈적이는 푸른 물빛이 흐르고
모두 다 이해한다는
신의 눈빛이 반짝이고 있었다

*회개하지 못한 망자는 천국의 암호를 열 수 없다

새벽을 넘기고

밤을 새운다는 건 쉬우면서도 어려운 일 아침으로 기어가는 동안
어둡고 탁한 내면의 소리가 고요한 일 불을 끈 방 안은 꼭 우주
속에 갇힌 것만 같다 굴러다니는 어젯밤의 기억은 도통 생각이 나지
않고 어제인데도 불구하고 기억상실증에 걸린 사람처럼 아무것도
모르겠단 얼굴로 다시금 슬퍼진다 씹다 뱉은 지리멸렬의 단물은
무의미한 말만 나열이 되고 긍정보단 부정 부정보단 긍정 악순환이
반복되는 퍼즐 놀이 멍청한 헛소리를 왈왈 멍청한 공상을 왈왈
측정할 수 없는 생각의 끝은 광활한 우주 같고 모두 흩트려놓기엔
내 짧은 손이 닿지 않는다 아침이 밝았다 왈왈 曰

시절

해바라기가 완연하던 시절이
벚꽃을 잡으면 소원이 이루어진다는 미신을 믿던 시절이
죽어가는 장미를 보며 예쁘다고 했던 시절이
소나기 속에 눈물을 같이 흘려보냈던 시절이
벤치에 앉아 소주 한 병을 벌컥벌컥 마셨던 시절이
마냥 해맑게 지냈던 시절이
있었지

모두 지나간 필름이자 과거형
아직도 애착하는 단어가 있고
결핍된 마음들이 득실거려서
나의 우주를 게워 내야만 하지

영원
염원
구원
근원
세워두니
원으로 끝나는 단어만 가득해서
원이란 말을 좋아했던가
고개 숙인 비애의 자취
갈증 나는 욕망
발이 생긴 나무

지독한 슬픔
녹지 않던 얼음

나는 알고있다
사라진 숲에 대한 이야기를
뜨겁게 뛰던 심장으로 관통하던 불볕더위를
나비가 알려주던 고혹적인 울화를

지난밤은 불면의 시간
지지난 밤은 고뇌의 시간
오늘 밤은 말이죠
영원처럼 안아줘요

카르마

카르마
말을 해줘요
나는 미래에도 악을 품고 있나요

미소만 짓는 라파엘이여-
말을 해줘요

카르마
과거와 맞바꾼 목숨은
순백해질 수 있을까
나는 무척이나 궁금해요

참회하고 잊나요
참회하고 있나요

붉은 입술 사이로
사탄의 말들이 나와요

천사는 어디에 있지?
나를 지켜주던 성스러운 천사는
도대체 어디에 있지?
못마땅한 나를 지켜보다
신이 거두어 가셨나요

욕을 발설하면
왼쪽 귀는 나를 더럽히고
오른쪽 귀는 나를 숨겨주고

무저갱
무저갱
버림받은 무저갱이 되고 싶지 않아

천사를 따라 하면
천사처럼 될 수 있을까
순백의 삶을 가질 수 있을까

미카엘
내가 무엇을 잘못했는지 읊어줄 수 있어?
지금껏 저지른 죄악을 내게 보여줄 수 있니

루시퍼의 입을 꿰매줘 미카엘
페르소나가 점령한 나의 귀에
추악한 언어가 들리지 않게
성유를 이마에 바르고
신의 자식으로 태어나고 싶어

카르마
부끄러운 카르마가
되지 않겠다고 약속해
몸과 입과 마음을

더럽히지 않겠다고
천사와 신의 앞에서
무릎 꿇고 맹세해

선명한 환상통

모두가 잠든 밤에
엉기적대며 속앓이를 헤집고 다닌다
꼬여진 내면으로부터
글자 하나하나를 심어
만개하다 시들 때까지

며칠 전 갑작스러운 현기증에

늘 숨겨왔던
달갑지 않은
현실을 예쁘게 접어
몽상에 넣고 싶었다

가자 미지의 세계로
가자 얼굴 잃은 환상통을 느끼러

정말이지 나도 명랑하고 싶어
이건 사실을 담은 염원

아무것도 모른다는
스토케시아꽃처럼
미소를 잃지 않았으면 좋겠어

자괴감이 낳은 결말이

모난 나의 마음이
순백해지기를
머릿속에서만 간절하지

보이시나요 신(神)
이 무모한 간절함이
당신에게는 보이시나요

알잖아요
인간의 변덕은
끝이 없다는 것을요

투명한 피를 흘려
새롭게 자라날래요
초록이 숨 쉬던 그늘로
말라버린 흑백이 있던 종이로
파도와 춤추던 푸름 속으로

나는야 음유하는 자유로운 영혼이 될 테야

내가 분실한 건 늘 지니고 있어야 했을 희망
봄이 알려준 생명
내면 속 다정한 언어, 수국처럼 웃는 얼굴, 청춘처럼 반짝인
윤슬, 살갗에 베인 오후의 향, 새롭게 써 내려갈 평화

꼬리

생각에 얽히고 생각에 생각에 생각의 꼬리를 놓아주지 않고 무수히
늘어트리며 오늘의 힘겨움을 또 생각하면 한숨이 저절로 나오고
희미한 달을 보자니 마음이 더 어수선해지는 지쳐있는데 엄마에게
시답잖은 소리를 조잘조잘 말을 해가며 애써 밝은척을 했던 그런
날에 나는 어느 시인들의 책을 읽으며 이해하지도 못할 문장에 깊게
잠겨 읽다 위로 아닌 위로를 받으며 나를 부드럽게 토닥이다 곱씹은
아픔을 꼭꼭 씹어가며 흘려보낸다 나는 무엇을 느꼈기에 위로가
됐다 생각했을까 나무나무나무나무나무나무 반복되는 나열
무엇이었을까 그저 아가미는 있는데 호흡하지 못해 방법을 몰라서
멍청해서 그래요 형태를 잃어버린 밤, 오후의 웃는 얼굴은
흐릿해져만 가고 한낮 더위에 녹아내린 얼굴이 사라진다
사라진다 울먹일 것 같은 그런 얼굴로

괜찮아
괜찮아
신이 건넨 푸른 숨을 먹으면
견딜 수 있다했다
나는 살아있어
꺼지지 않기 위해 몸부림치는 불씨처럼
나약한 내면을 절망에 잡아먹히지 않기 위해
추위를 먹어 버티고 있어

나 많이 애쓰고 있어

얼마 전 봄을 떠나보냈고
과거의 나를 애도했고
모든 시련의 흙을 덮어두었으니
다가올 여름엔 몽유의 꽃으로 태어나
부서지는 밤까지도 사랑하기로 하자

페르소나

달은 떴는데
사람은 없어요

공허의 밤이 오면
환청이 들리기 시작하고

흔들리는 내가 있고
지쳐가는 네가 있어요

별은 떴는데
소리는 없어요

가면의 가면의 가면의 가면의 가면의
나를 벗으면
부끄러운 내가 나와요

수줍은 페르소나
음, 말을 말아요

붉어진 두 뺨. 퀭한 동공.

초라함의 끝없는 행렬

손을 자를래
부끄러워,
뭐라도 잘라야만 할 것 같아

사각-
나는 아직 어려서
이것밖에 못돼요

눈을 감자
꼭 종이를 자르는 것 같지 않니

이상하기도 하지
두 손에 마비가 와
내게 손이 있었던 적이
있었나 싶을 정도로
감각이 사라져 사라져 사라져

사각-
푸른 밤을 잘라요
아프지도 않지

쏟아지는 몽중은
가혹한 현실인 것만 같아

실수를 하면 어떡하지
네 앞에서 죽어버리면 어떡하지

사각,
괜찮아 나는 오늘도 잘랐어요
아프지도 않지

노란빛의 불안과 평화를
파란빛의 천국과 지옥을
수십 번이나 넘나들었어요

3부 짙은 향은 어지럽게 만들지

5월

오월의 낮에는
뺨을 감싸는 잔잔한 바람과
얼음을 한 움큼 담은
페퍼민트 차를

시원한 향이 입안에 잠기고
옛 기억을 더듬는
뇌의 필름은
천천히 감기다 죽는다

사랑받고 있다는 자각을 깨달은 날
심장을 움켜잡고
나의 옛 아이를 끌어안는다
행복을 알게 해준
소중한 그들에게
더는 죄스럽지 않기 위해
희망을 몸에 심기로 했다

열병을 앓아도
봄은 피고 싶었고
열매는 피고 싶었고
꽃은 피고 싶었고

모두
살기 위해 몸부림쳤던 거였지

초록이 입을 열고 말하는 순간
형상은 짙어지고 환해진다

*헛된 공상에서 조금은 멀어지기로 해

난해한 나의 문장에서 무엇을 봤나요
읽어는 지던가요
박하 맛 캔디를 입에 물고 싶어지는
여름이 다가와요
다가오길 바라는 걸까

부서지는 편린속을 걷다
봄의 끝자락처럼 잠이 쏟아진다.

1
지구는 나란 오물을 건져내 구원하는 혼으로 세탁하지만
무한의 굴레에서 빠져나가는 일은 늘 어려운 것
신은 나를 버렸지만 나는 신을 사랑해
유랑하는 나의 파멸적인 문장의 잔해
불가피한 멸망의 아름다운 비명
이 밤에 새긴 활자는 비명도 지르지 못하고

010-4444-4444
지금 거신 전화는 없는 전화입니다
삐-
수신되지 않은 이곳은 멸망입니다

2
행성에 숨어버린 나를 찾지 마세요
이러다간 열병 나 죽어버린대도
나를 쫓아올 테야?
같잖은 구원 따위 들이 내밀지 마
그러면 콱 죽어버릴 테니까

파랗게 질려버린 폐부의 종말에는 괴괴한 구토를
질, 질, 질,

어디로 가야 해요 내 마음. 비루하고 너털거리는 가증도. 파편으로
맞물릴 괴리감도 이해하지 못하면서 무수히 곱씹어야 했던 낯선
이의 문장도 참지 못하고 바다가 된 나의 눈도 모두 어디로 가야
해요 지구는 나를 꾸짖었고 신을 믿어라든지 언니의 말에는 꽃이

걸어다니는 사랑이 존재해라든지 달에게는 얼굴이 없어 표정을
들키지 않아라든지 나는 내 문장을 어떻게 숨겨야 하는지 가르쳐
주세요 선생님

굳게 닫힌 입은 뾰족하고
파멸된 언어를 가지고 태어나
속절없이 발음하는 일

난도질당한 문장
문학의 품이 그리운데
내쫓기는 신세다
갈 곳이 없다

*자주 하는 얘기지만 문인이 되는 거 어렵고 비참해요

3
오늘 밤은 공허한 우주에서 떠돌이 행성처럼
문학을 기필코 만들어 증명하겠어요

추월하고 싶어
추월하고 싶어
추월하고 싶어

행성을 핥으면 파랗고 아릿한 맛이 나요

어쩔 땐 빨주노초파남보―

무수한 감정이 충돌해
종류대로 행성이 생기기 때문
그렇지만 나는
파란 행성이 제일 좋다 말해요

의미 없는 염원 따위 그만하자고
소리를 바락 지르곤
행성을 끌어안고 자요

나의 새벽이 혼란스럽지 않게
안고자는 버릇이기 때문

4
내가 자는 동안
배배 꼬인 장이 몰래 자멸감을 배설해요
긴장 풀린 탓에 왈칵-
사랑니가 잇몸을 뚫고 나오는 고통처럼
진통의 시간은 내게 고비이자 환멸의 시간

더럽고 추악한 토들이
여기저기 새어버리고
헐어버린 광활한 내 몸

많은 것을 게워 내기엔
힘든 우주니까요

야망과 문학

사랑을 발음하면 청춘이 발음되고
청춘을 발음하면 애증이 발음되고
애증을 발음하면 관대가 발음되고
관대를 발음하면 가난이 발음되고

더 이상 수식어가 떠오르지 않아 단어만 나란히 세워
애정하며 자주 찾는 빈곤한 단어를 이르러 무릅쓰고 발음했다

선생님, 나만의 문체를 가지고 싶어요
아 이제는 새로운 어휘를 구사해 보고 싶어요
볼품없는, 진부한, 문체를 버리고
아름답고도 독특한 나만의 문체를요
미지의 세계를 넓혀야 할까요
타인이 지닌 글을 바라보아야 할까요

선생님은 아마, 제게 이런 말씀을 하시겠죠

무지한 손가락만 빠는 문인아,
성숙하지 못한 이 어린 문인아,
번뇌를 숙성하는 마음으로 보아야 해

마음가짐도 중요하지만
지혜를 볼 줄 아는 눈이 없으면

너는 결코 좋은 문인이 될 수 없지
그러니 세상을 익혀야 해
너에게서 나올 참된 문체를 갖기 위해선
보고, 듣고, 쓰고, 느끼고,
그 안에서 찾아야 해 알겠니

*사월의 춘몽에는 야망 찬 숙녀가 문학을 삼키고 있었다

1

겁 많은 연명이 헐떡인다 짐작할 수 없는 날들이 많아지고 있다
녹이 슨 쇠에도 닳아버려 허물어질 징조를 알린다 녹색의 것들을
보면 호흡이 무너지고 죄스러운 박탈감이 속을 박차고 나와 치사에
미치게 한다 속절없는 이야기다 이 밤에 나와 걷는다 한들 분이
풀리지 않을 거다 그래, 썩어간다 집이란 공간에서 짙은 밤과 함께
영원할 줄 알았던 밤과 함께 눈이 부시다 아직, 2단계의 형벌
조금씩 문드러지기 시작한다 존재 자체가 죄인 것처럼 얼굴을 들 수
없다 불 꺼진 방이 좋다 암순응, 적응됐다 무기력한 나날이다

2

내가 자주 하는 말은 멸망하자 멸망하자 기필코 멸망해야만 해
세상은 그러지 않아도 나만은 그래야 해 신경질 난 세포가 한없이
처절하게 만들어 신이 만든 것도 아닌 내가 자초해서 생긴 일이다
숲을 봐야 하는데 나무만 봐서 생긴 탓일까 애초에 보긴 했을까,
여전히 허망하고 오래된 잔상의 출혈이 심하다 막지 못한 구멍엔
살고자 했던 헛된 피가 흐른다 작심삼일의 희망이 또 사라진다
자백하자 떠나자

추신) 참을 수 없는 날들이 많았습니다 기어코 살아있습니다.

 *못- 날개
(노래를 참고하세요)

영원이란 말에 질식하는 새벽

난도질 된 심장의 구멍에 영원이란 호흡을 넣어줘 목줄 없는 개처럼
뛰어가도 날 놓치지 않고 붙잡아 줘 혹여, 정신을 잃어도 다정이란
채찍질을 해줘 부둥켜안고 목 놓아 울 수 있는 구원자 같은 품을
내어줘 유성우가 떨어지는 날, 눈을 맞춰 바다에 뛰어들자 부서진
파란 유성우의 사탕을 입속에 넣고 기분을, 세상을, 굴리자 그리곤
실컷 물장난을 치자 오늘만 살 수 있을 것처럼 이토록 행복했던
적이 처음이었던 것처럼 둘만 남겨진 것처럼 질리도록 밤을 보자
풀지 못한 깊은 한恨을 해심에 오래 묵혀두었던 것처럼 서럽게
읊조리던 해가 뜨지 않을 것처럼

너와 나의 한恨을 무어라 말하면 좋을까
길가에 흙이 잔뜩 묻어 먹다 뱉은 산산조각 난
돌 같은 사탕이라 해둘까

추신) 구태여 우리는 이만하면 최선을 다했다 쇠약함에도 불구하고
간이고 쓸개고 기운이고 모조리 바다에 받쳤다 이만하면 파렴치
못한 인간은 아니었노라고 감히 발설해 누그러진 파도의 입으로부터
먹힌다 불행했던 세상아 안녕

수선화

1) 상실한 날이 원래 그래 무뎌지는 슬픔이 원래 그래 지구가
멸망하지 않는 이상 불행은 계속될 거래 아니, 변하지 않을 거래
지구마저도 해결해 줄 수도 없다는 뜻이래 맨날 사라질 거라면서 잘
버티고 있는 이유 이제는 헛웃음이 나 겁이 많은 것도 죄인가 봐
부패하는 이 나약함 좀 봐 썩은 내가 진동해 낯선 곳에 있는 기분은
어떠니 춥고 외롭고 그러니 부질없는 소원은 뭐 하러 빈다니 그냥
이러다 가는 거지 뭐 시름시름 앓다가 꿈꾼 것 같은 세상에서
소멸하는 거지 뭐 구원이니 뭐니 헛소리 좀 하지 마 그렇게
발악해도 결코 내 곁에 오지 않아 잘 알면서 기대하는 거
최악이잖니

2) 곧 사라질 봄
그래 봄 말이야 봄
어떤 의미가 될 수도 있는 그 봄
그 봄에 내가 함축되어 사라질지 모르지
기억해 줄 사람은 있니
보오---옴이라고 길게 늘어트려
말해도 온전한 너를 기억해 줄
사람이 있냐는 말이야
응? 네가 무슨 말을 하는지
좀체 모르겠어 나는
분명 너에게도 이런 날이 올 거야
내 마음과 하나가 되는 날이

그때 비로소 너는 깨닫겠지
내 슬픔이 무엇이었는지
내가 무슨 말을 하고 싶어 했는지
밀려오는 안쓰러움과
토닥이지 못한 후회들이
억겹이 찾아올 때쯤
나는 네 앞에 서 있을 수 없을 테지
그래도 그래도…
너무 미안해할 필요는 없어
전부 나의 몫이자 선택이었고
어차피 이렇게 될 운명이었어
그러니까 그러니까
미안해하고 슬퍼하고 그러진 않았으면 좋겠어

3) 신께 보내는 편지

이렇게 괴로워할 거라면 수선화를 입에 물고 달아나야겠어요 나의
결함은 끝이 없어요 나는 어디서부터 잘못됐나요 숙명이 이루어진
그날부터? 그것도 아니면 추악한 마음을 먹은 그날부터? 모르겠어요
신께 부디 빌어요 저 좀 어떻게 해주세요 제가 다 잘못했어요

4) 선생님 유랑이란 말이 지겹고 힘겨워요 다치기만 하는 유랑
놀이는 그만할래요 이만큼 괴로워했으니 선생님 저 이제 웃어도
되는 거죠
잎 속의 검은 잎을 견디기가 버거워서 슬픔이 없는 십오초를
너무 좋아하지만 이젠 견디기가 힘겨워요

해파리와 칵테일

울적해서 바다로 갔다
소주 두 병을 사서 계단에 걸터앉아
묵묵히 안주도 없이 벌컥벌컥 마셨다

선명하게 반짝였던 그날을 잊지못한다
어두워도 파도의 흐름이 잘 보였다
우울해서 심장이 아플 만큼 울었다

어두운 바다 안을 뚫어져라 보며
둥둥 떠다니는 해파리를 관찰했다

자유로이 어디론가 헤엄치는
해파리가 부러워서
미칠 지경이었다

나도 너처럼 자유로워지고 싶은데
그건 안되겠지

너는 심장도 없고 내장도 없고
헤엄치는 힘이 단지 약해서
수면을 둥둥 떠다닐 뿐인데
어쩌면 나보다 네가 제일 불쌍한 해파리일지도 몰라
촉수가 독이 아니라
너의 존재를 알려주는 용도일지도 모른다는 사실에

나는 괜스레 슬퍼졌어

소주가 아니라
영롱한 칵테일을 들고 와서
멋지게 마시며
찌질한 눈물따윈 흘리지 않는 건데

혼자서 궁상떠는 사람이 돼서
지금 생각하면
낭만주의가 아니라 창피한 일이었지

나도 바다에 빠져서
너랑 멋진 유영을 할래
나와 모험을 같이 떠나줄래

지금은 바다랑 멀어져서
자주 가지 못하지만
나를 보게 된다면
긴 촉수로 반갑게 인사해 줄래

살갗에 깊이
너의 모양을
온몸에 빈틈없이 새겨줄래

동족이 된 것처럼 느낄 수 있도록
나를 꽉 껴안아 줄래

유실된 자두

자두가 굴러와 날씨를 갉아먹어 자두 껍질 속에는
망망대해가 있었고 그 안에는 구원과 내가 속절없는
눈빛으로 안절부절못한 꿈을 꾸었어

비릿한 바다 향이 가득한 그곳은 멸망설이 있던
소문이 자자한 곳이자 무서운 파도 소리뿐이었지

숲의 심장에 꽂아 둔 자두의 씨앗을 찾아서
먼 길을 헤매다 밤이 되어버리고야 말지
굳어져 버린 발을 호호 불어가며
흙 위를 걷는 두 다리가 저려와

자두 향이 나던 나무를 어서 기억해야 해
새콤하던 그 향을 찾기 위해
나는 개처럼 킁킁대며 한참 동안 숲속을 헤매다
길을 또 잃고 마는 반복되는 그런 꿈

새벽보다 짙어진 문장을 느낄 수도 만질 수도 없고
자두가 태초에 발견된 곳에서 열람조차 할 수 없는 여름
아니, 여름을 흉내 낼 수 있다고 믿었던 계절 속에서
지나간 만큼 멀어져 버린 자두의 짙은 향이 후각에서 사라지는 그런
꿈

나로 인해 자두가 흔적도 없이 사라지는 멸망설

*전수오 시인님의 빛의 체인 28p를 참고하여 인용하였습니다.

산호초의 꿈

바다 깊은 곳
은은한 빛 속에서
숨 쉬는 산호초의 눈빛

보랏빛 손길이 닿는 곳마다
파란 물결이 춤을 추고
초록빛 환상이 펼쳐지는 정원

투명한 생명체들
그들의 유영은
마치 꿈결처럼 부드러워서

바람 한 점 없이 고요한 바다는
그 안에서 피어나는 영원함을 가졌지

눈부신 색채의 향연 속에서
나는 잠시 멈춰
아름다움에 흠뻑 젖어버리고 말지

산호초의 몽롱한 꿈속에서
말미암아 돌아오던
파란 계절을 아직도 잊지 못해

나의 온몸에 산호초가 둘러 쌓여
낭만의 언어를 배웠지

또다시 여름

여름이여, 너는 마음 깊은 곳으로 더욱 깊게 파고들어 왔어 네
향기는 마치 바다의 푸른 물결처럼 나를 감싸안고 공간을 초월했던
그날 태양빛은 강하게 내리쬐던 마치 우리의 대화처럼 따뜻했지
물결 위를 헤엄치는 해파리의 투명한 몸은 몽중에 떠다니는 듯한
착각을 일으키곤 했어 그렇게 돌아오는 계절은 우리를 슬프게
만들었지

버섯을 따던 천사

한적한 숲속에서 푸른 빛이 비치는 가운데 작은 버섯이 자라고
있었다 그 버섯은 마치 천사의 날개를 닮아 보였다 그 숲은 마치
천사의 날개 아래에 숨겨진 듯한 아늑함을 품고 있었다
어느 날, 그 버섯을 발견한 소녀는 그 속에서 천사의 메시지를
발견했다 "우리는 환상통을 너무 믿어요"라는 메시지였다 소녀는 그
천사의 메시지를 보고 버섯 앞을 지켰다 그녀는 희미한 입꼬리를
보이며 용기를 달라고 천사에게 빌었다 버섯은 사라졌고 천사가
환하게 웃으며 날개를 잘랐다

안녕하세요, 해파리와 칵테일을 쓴 산호 입니다.

저는 작가라기보다는 글을 쓰는 것을 즐기는 일반인입니다.

메모장에는 이제까지의 경험이 가득합니다. 이 책을 출간하는 데에는 용기가 필요했고, 그 과정엔 수많은 시행착오가 있었습니다.

예전에는 다른 필명으로 미숙한 시집을 내보냈던 적도 있습니다.

이번 책은 오랜 기간이 걸리지 않았지만, 꾸준히 글을 써왔습니다.

저의 작품은 긍정적인 이야기보다는 부정적인 내용이 많고, 우울한 느낌이 물씬 풍깁니다. 하지만 그 우울함 속에서 저는 더 크게 성장하고 있다고 느낍니다. 우울함이 항상 나쁜 것만은 아니라고 생각합니다. 앞으로는 긍정적이고 행복한 이야기도 써보려고 합니다.

이 시집에는 제가 힘들 때마다 쓰는 글이 많아서인지 내용이 무겁습니다. 하지만 그 무게 속에서도 행복을 찾으려는 마음이 담겨 있습니다. 독자 여러분, 부디 따뜻한 시선으로 읽어주시고 여러분의 여름이 밝고 행복하길 염원합니다.